영원한

Eternal Covenant

계약

영원한
Eternal Covenant
계약

'다시
태어난다면—'

현재의 삶에
불만을 가진 자들이
입에 담는 보통의 바람으로
결코 이루어질 수 없는 말이다.

그리고 나 역시
그런 생각을 하는
사람이었다.

예당에
얼굴 비치지 말라고.
우리 집에서 내는
헌금이 얼마인데.
너한테 돈 쓰는 것 같아서
기분이 더럽다고
몇 번을 말해?

야, 그거 해봐.
너 잘하는 거
한번 해보라고.

지난번에
잘만 나대더만,
지금은 못하겠냐?

부모도 버리고 간
저주받은 새끼잖냐.
너, 그러다가
저주 옮는다~

야, 야.
그만둬라.

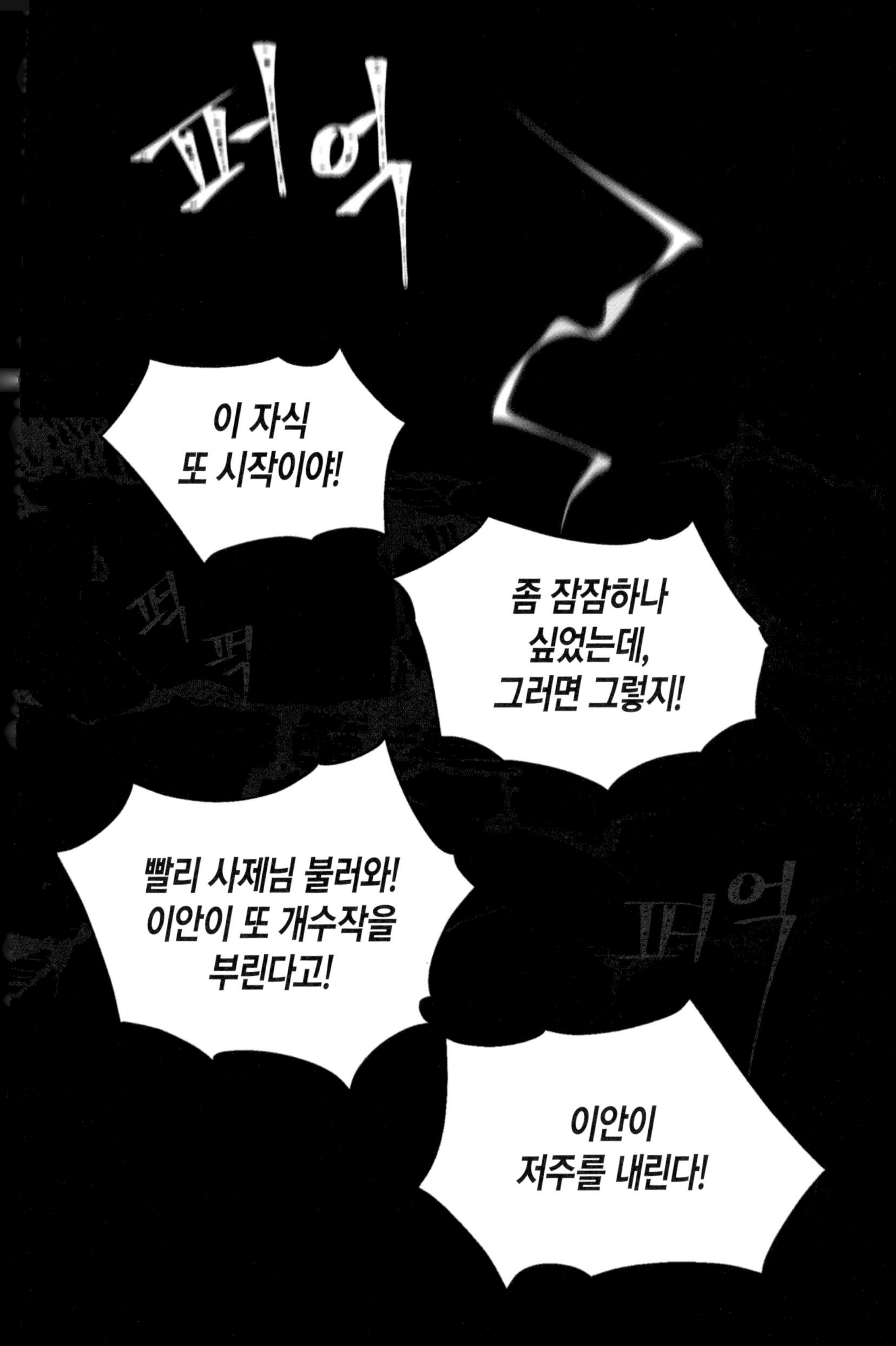
퍼억
이 자식 또 시작이야!
좀 잠잠하나 싶었는데, 그러면 그렇지!
퍽
퍽
빨리 사제님 불러와! 이안이 또 개수작을 부린다고!
퍼억
이안이 저주를 내린다!

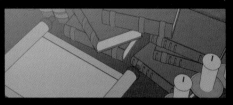

이안,
또 친구들을
다치게 했구나.

지난번에 분명
앞으로는 이런 일이
없을 거라고
약속하지 않았니.

대체
어떻게 된
일이지?

그 녀석들이
먼저 시비를
걸었어요.

잘못은
그 녀석들이 했는데,
왜 매번 저만
참아야 해요?!

…파울이야
늘 그런 식으로
장난을 거는
아이잖니.

네가 적당히
무시했어야지.

뿔끈

…이안.
네 마음은 알겠지만,
너는 조금… 특별한
구석이 있잖니.

어찌 보면 너도
그 친구의 도움을
받고 있는 건데,
괜히 미움을 사면
서로 곤란하지 않겠니?

네가 어떻게
할 수 없는 일이라면,
한번 참아보는 것도
그 일을 해결할 수 있는
방법이란다.

현명하게
생각해야지.

애들끼리 싸운 거니 눈감고 넘어가려 해도 한두 번이어야지!

그 녀석과 엮이기만 하면 항상 사람이 다치는데,

그게 정상적인 일인가?

흘끔

분명 얼마 전에 신관을 불러와서 이 마을에 축복을 내렸었지.

하지만 대체 그게 무슨 소용이 있나? 그 녀석이 손대는 건 모조리 개박살이 나는 것을!

따지고 보면 사람만 다치는 것도 아니지! 가축을 비롯해 주변이 모두 쑥대밭이 될 때도 있다고!

그 녀석이 원흉인 게 분명해!

베에~

울 먹

안 그래도
그와 관련해
중앙 교구에
연락을 넣었습니다.

조만간
추기경께서
내려오신다고
하더군요.

추기경이든 뭐든 간에
분명하게 전달하게.
그 녀석 때문에
우리 모두가
매우 불행하다고!

움찔

어쨌든—
저 녀석이 앞으로도
예당과 내 땅에
발을 들인다면,
나는 더 이상
헌금을 낼 수 없소.

그건
밑 빠진 독에
물 붓는 것과
마찬가지야.

잘 생각해보고
처신하는 게
좋을 거요.

타
다
닷

미안하구나,
이안.

만약,
다시 태어난 결과가
현재의 모습이라면?

그래서 이런
지독한 삶을
살아낼 수밖에
없는 거라면?

뎅

대체 나는
이전의 삶에서
어떤 지독한 일을
저질렀기에,

지금 그 죗값을
치루고 있는 걸까?

뎅

그렇다면, 나 역시—

죄를 범한 자가 있다면,
그들도 나와 똑같이
죗값을 치르게 하리라고
마음먹었다.

영원한
계약

아직도 자냐?
아침 의례도 빼먹고
팔자 좋다?

기사단 규칙이
아주 우습지?

데르윈 성기사단
부단장
러셀 브릭스턴

왜 아침부터
시비야…

시비는.
벌써 해가
중천이다.

오늘 가텔 후작
만나러 가는 날 아니야?
후작이 자문을
요청했다며.

아무래도
솔 윈클러가
전쟁을 준비하는 것
같아서 불안하다고.

알아보기는
했냐?

추기경님께서도
신중하게 다루시는
사안이니, 너도
신경 좀 쓰지?

네 일 아니니까
신경 꺼,
러셀 브릭스턴.

저 새끼가…

!

헤론 추기경님께
누 끼치지 말고.

재수 없는
새끼…

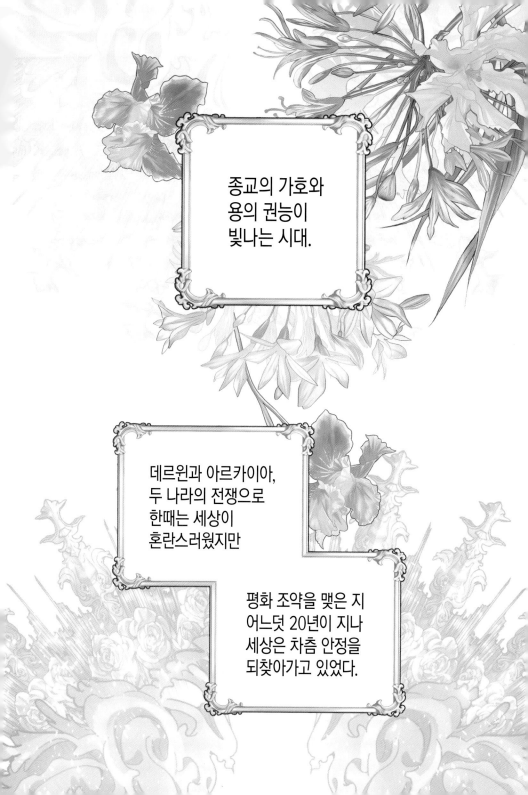

종교의 가호와
용의 권능이
빛나는 시대.

데르윈과 아르카이아,
두 나라의 전쟁으로
한때는 세상이
혼란스러웠지만

평화 조약을 맺은 지
어느덧 20년이 지나
세상은 차츰 안정을
되찾아가고 있었다.

솔레아이트 윈클러.
시초의 용 루아루크와
인간 사이에서
태어난 자로,
아르카이아를 세우고
통치해 왔다.

지금의 그는 현군이지만,

과거 데르윈과의 전쟁에서 데르윈의 고위 신관을 수두룩하게 날려버린 전신(戰神)이기도 하다.

그렇기에 전쟁의 기미가 보이면 사람들은 불안에 떨 수밖에 없다.

아르카이아에서 전쟁을 준비한다는 게 사실이야?

그래! 솔 윙클러가 직접 정예 기사를 모집한다는 공고문을 냈다지 않나.

어쩐지 가텔이
세금을 독하게
뜯어가더라니…

전쟁 자금을
모으고 있었군.

우민들의 생명을 쥐고
선동하여 이득을
취하는 꼴이라니.
죽어 마땅하지 않은가.

전쟁이 일어난다는 소문은
그 심리를 이용해
세금을 더 뜯어내려고
만든 말일 테지만,

헤론 추기경님의
기사들은 모두
뻣뻣한 줄
알았는데,

이렇게 말이
잘 통하는 분이
계시다니 이거 참
다행입니다.

오늘 말씀드릴 건의
사안이 사안인지라…
이해해주시겠지요?

이안
글로스터 경.

걱정 마십시오,
가텔 후작.

추기경님께서는
오늘 저와 후작의 만남이
전쟁 상담 때문인 줄
아실 것입니다.

샤바
샤바

신이 그들을 돕지 않는다면, 자연히 신앙심이 흔들리지 않겠습니까?

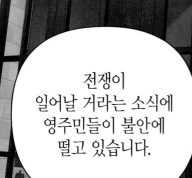

전쟁이 일어날 거라는 소식에 영주민들이 불안에 떨고 있습니다.

그러니 이안 경께서는 추기경님께 슬쩍 흘려주시면 됩니다.

아르카이아의 솔 윈클러가 또다시 신의 권위를 탐내고 있는 것 같다고 말입니다.

그럼 추기경님께서 영주민들을 위해 전쟁 자금을 더 보내주시지 않겠습니까.

실제로
솔 윈클러가
전쟁을
준비하는 것
같습니까?

사실이 아닐 경우
후에 쓴소리를
듣게 될 텐데요.

본래 사람은
공황에 빠지면
자신의 안위를 먼저
확인받고자 하니,

그때 그들의
장단에 맞춰주는 것이
중요합니다.

실제로 전쟁이
일어날지 아닐지는
그 누구도 관심이
없습니다,
이안 경.

잠시
이리로.

…좋습니다.

파
턱
악

막으려던 과정에서 세상을 떠난 것으로.

당신은 고용된 몸이니, 명예 정도는 남겨주지.

가텔이 아르카이아와 결탁해서 전쟁을 하려는 것을 알고

스르륵

물론,
죽은 뒤의 명예가
얼마나 가치가
있을지는
모르겠지만.

꽈악..

그렇게
욕심도 정도껏
부렸어야지,
가텔 후작.

꼬리가 길면
잡히는
법이거든.

세금
과잉 징수와
예산 횡령으로도
부족해서

사람을
파셨다고.

그분이 만드실
세상에

당신은
필요 없습니다.

사용인들을
물렸다더니
확실히 복도에
사람이 없군.

처리해야 해—!

이 녀석…

!

그건
저주받은
힘이야…!

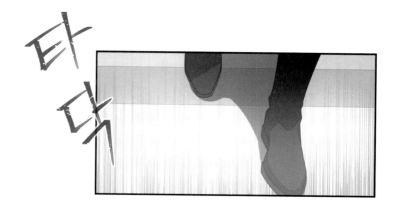

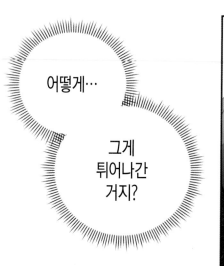

어떻게…

그게
튀어나간
거지?

대체
어떻게…!

진정해.

그는 죽었다.

본 사람은
아무도 없어.

그럼
된 거다.

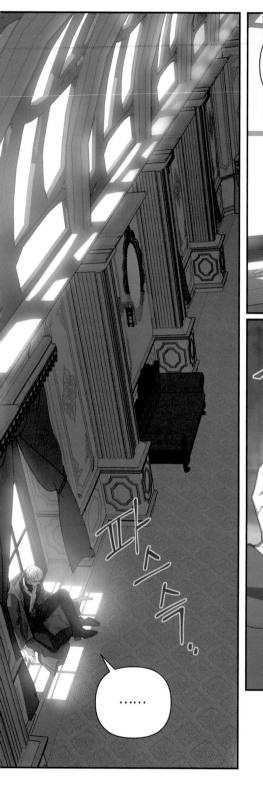

…쿨럭.

…쿨럭.

파아아

스륵

……

하.

전쟁이 난다는
소문이 돌고 있는데,
어떻게 생각해?

사실무근인
소문이야
하루 이틀 있는
일은 아니지만,

요즘은
이상하게 더
기승이군요.

아르카이아 재상
시에나 델러빈

부추기는
배후가
있을 겁니다.

그렇지만—

아르카이아의 왕이 손수 정예 기사를 모집하고 있으니,

허무맹랑한 소리에 날개를 달아줄 만도 하지요.

공식적인 발표는 없었지만,

자꾸 그렇게 나돌아 다니시니까 그런 오해를 사는 겁니다.

또 어디서 사고 치신 건 아니겠죠?

원인 불명의 사망 또는 실종 소식이 심심찮게 들려오고 있어요.

대체 날 어떻게 보는 거야? …돌아다니다가 엿 먹인 놈이 한둘은 아니지만,

대체로 살려서 보냈는데.

털

맙소사!

대체 언제까지 돌아다니시려고요?

여전히 '그'를 찾고 계시는 겁니까?

아르카이아에 대한 질 나쁜 여론이 데르윈이나 기타 중립국들에 형성되는 건 매우 좋지 않습니다.

일단 이것부터 해결하시죠.

......

재상이 이렇게까지 직언하는데,

더 모르쇠로 버텼다가는 큰일 나겠어.

어떻게 된 일인지 알아보도록 할게.

......!

또 직접 가시려고요?

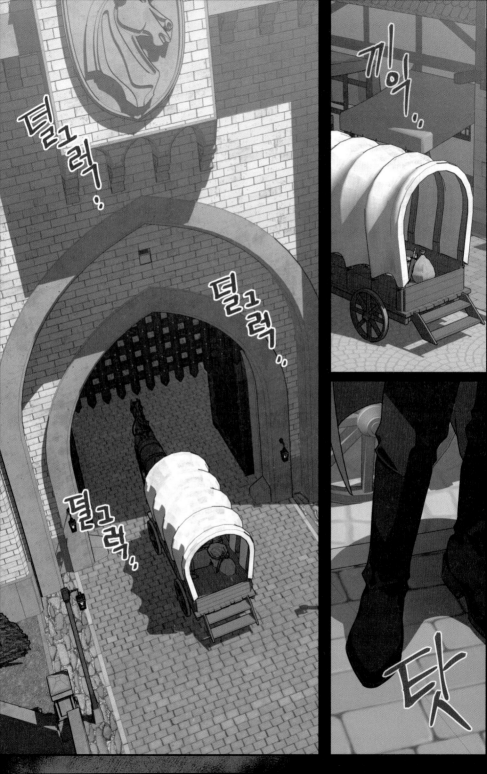

아르카이아가
전쟁을 일으킬 거라는
소문 때문에
민심이 흉흉하니
최대한 조심하시오.

아르카이아인인 걸
들키게 되면
큰 해코지를
당할 테니 말이오.

흔들
흔들

거 참.
태평한
양반이구만.

어쨌든
조심하시오!

다그닥

다그닥

이랴!

아르카이아에
당하기 전에
우리가 먼저
전쟁 준비를
해야 해!

전쟁에 대해
누구나 들으란 듯이
떠들어대는
녀석이 있으니

상황을
모르기도
어렵겠군.

이 영지의 주인이
가텔 후작이라고
했었지…

장사치이니 득실을 따질 줄 아는 놈일 거라고 생각했는데.

국경이 맞닿은 곳에 위치해 있어서 아르카이아와 종종 거래를 한다는 보고를 받은 적이 있었지.

영지에 이런 소문이 도는데도 가만두었다는 건…

소문으로 인해 얻는 이득이 더 크다는 이야기겠지.

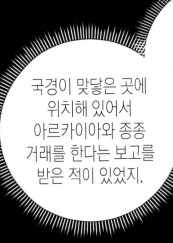

평화 협정이 있는데, 무슨 소리야!

그걸 믿나, 이 순진한 사람아!

이게 헛소문 같아? 당신은 아르카이아의 왕을 본 적 있어?

크아아아아악…!!

너,
너 이 새끼!

저주받은
아르카이아의…

얼마나
받았냐고
묻잖아.

대체 넌
어디서
날 봤다고

나에 대해
다 안다는 듯이
당당하게 말하고
다니는 걸까.

전장에서
만났으면
눈 하나만
없어지지는
않았을 텐데.

두근

두근

까아악

누가
시켰지?

…가텔 후작!

가텔 후작이
시켰어!!

순순히 말하면
조금 전의
시건방짐은
용서해주지.

가텔 후작이라…

본인이 낸
소문이라면
이야기가
달라지지.

단둘이
이야기를 좀
해봐야겠군.

소문의 주범이
가텔 후작이라기에
저택에 쳐들어온
것인데,

푸뻑

푸뻑

무언가에 막힌 듯 흐름은 매우 미약했지만,

그래서 되레 명확하게 알 수 있어.

생각지도 못한 수확을 얻었다.

그건 마법이 되지 못한 마력이다.

뚜벅

뚜벅

벌컥

문제는 그 녀석이 입고 있던 것이 아르카이아의 제복이라는 점인데…

......

아르카이아의 기사가
데르윈의 가텔 후작을
처리한 것처럼
꾸밀 셈이었나보군.

이 발칙한 녀석을
어떻게 다시
꾀어 낸다…?

너는 어째서 제시간에 일어나는 법이 없냐?

하아…

넌 아침마다 여기로 출근하냐?

내가
귀찮으면
일을 제대로
하든가.

가텔 후작과
상담한 내용,
지금 보고하고
와라.

축복의 시간이
곧 끝나니까
서둘러.

…그래.

문질..

?

이안
글로스터

들어가겠습니다.

감사합니다,
헤론 추기경님.

데르윈 추기경
헤론 브릭스턴

이안!

탓

오늘도 늦게
일어났습니까?

뚜벅
뚜벅

마침
잘됐네요.

바스락

…평소처럼
일어났습니다.

아침에
가텔 후작의
서신이
도착했습니다.

감사의 인사를 담아 보냈더군요.

후작이 이안 경과 상담 후 걱정을 덜었다고 합니다.

당분간은 민생 안정에 힘을 쓰겠다더군요.

이안?

아, 네. 그가 그런 서신을 보낼 줄은 몰랐습니다.

워낙 불안해 하기에

제 상담이 그에게 힘이 되지 못한 줄 알았거든요.

가텔은 죽었다.

하하. 나는 이안이 잘해낼 줄 알고 있었어요.

그럼 추기경님께서 영주민들을 위해 전쟁 자금을 더 보내주시지 않겠습니까.

더군다나 그런 제안을 했던 자가 민생 안정을 위해 힘을 쓰겠다는 내용의 편지를 썼을 거라고도 생각되지 않는다.

그런데, 어떻게?

설마.

아니야. 그도 죽었을 거다.

저…
헤론 님.

제게도 다시
축복을 내려주시면
안 될까요?

지난 축복 이후로
보름이 채 지나지
않았는데…

벌써 목걸이가
효력을
다했습니까?
그럴 리가
없을 텐데.

갸웃

효력은
멀쩡합니다.
단지…

불안…

슥

……!

자신을 가지세요. 나는 언제나 이안 경이 자랑스럽습니다.

…예.

저는 당신의 자랑스러운 기사입니다.

헤론 님은
죄인인 나를
거두어주셨다.

파스슥..

덜덜..

이건…
대체…

저주받은
자식!

괴물 같은
녀석!

이안,
다치지는
않았나요?

저벅

죄,
죄송해요.

죄송해요…

빠그락

썩 꺼지지
못해?!

잘못했어요…

빠그락

웅찔

와그작

속

멈칫

……

헤론 님께
도움이 되어야 해.

…가텔의 저택에
다시 가봐야겠어.

어떻게 된 일인지
확실히 해둬야 한다.

진짜 가텔이 살아있는 것처럼.

주인이 죽었다는 걸 아직 모르는 건가? …그럴 리가.

직접 확인해보는 수밖에.

그렇다면―

똑
똑

딸깍

끼이
ㅇ

열렸…

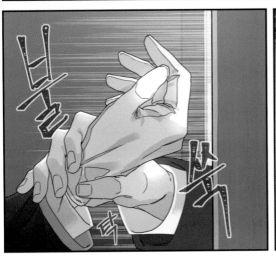

?!
어엇…!
후
욱

쾅
ㅡ

살아 있었어…!

스멀

파직

씨익

우리 서로
할 이야기가
있을 것 같은데?

어떻게?

대화를 나눌 거라면,
좀 더 적절한
태도가 있지 않나?

하지만―

놓으면 네가 날
공격하지 않을 거란
보장이 어디 있지?

상대를
잘못 골랐어.

함정을 파놓고
기다리고 있었군.

쿨럭…!
성질도
급하긴…

이렇게 있으면
대화할 생각이 좀
들겠어?

그럼 이렇게
있자고.

네 뜻대로 해줄 거라고
생각했다면 오산이야.

내 일을 도와줄
사람이 필요한데,
마침 네가 딱 맞아
보였을 뿐이야.

…무슨
꿍꿍이지?

…가텔은
어떻게
된 거지?

헤론 님께
보낸 서신은
네가 썼나?

중요한 증언을
해야 할 녀석인데,
그렇게 죽이면
쓰나.

간신히 숨통만
붙은 채로 잠들어 있는
상태야. 회복하는 데
시간이 좀 걸리겠지.

네 대답에 따라 나는
그 녀석을 깨워서
네가 한 짓을 전부
까발릴 수도 있고,

네가 한 짓을
숨겨줄 수도
있어.

숨겨준다고?

…아니,
대답할 만한
가치도 없는
제안이다.

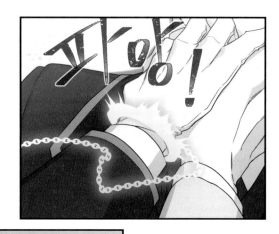

이 느낌은—

제법 익숙한
감각이지?

내가 가진 힘과
똑같은 것이다.

이젠 내게
흥미가 생기나?

이안이
아침 의례에
참석하지 않은 게
신경 쓰이나요?

숙부님도
규칙에 엄하시니
아시지 않습니까.
그냥 넘어갈 일이
아닙니다.

러셀의
그런 표정은
오랜만이네요.

저도
들었습니다.

헤론 님이 기사단을
맡으셨을 때 굉장히
엄하셨다고요.

그런데 왜 유독 이안은 그렇게 너그럽게 봐주시는 겁니까?

우리는 신의 뜻을 따르는 자들이니, 경건하고 엄격하게 자신의 자리를 받아들여야 합니다.

한 사람에게 특혜가 주어지면 기사단의 기강이 흐트러질 수 있다는 거 아시지 않습니까.

하하.

그래도 요즘은 제법 눈치를 보면서 들어오는 게 꽤 귀여워졌는걸요.

팔불출.

빙긋

거의 품 안의 자식이군.

더 필요하신 것이
생기면 언제든
말씀주십시오.

타
닷

고마워요.
수고 많았어요.

웃차~

이안 그 녀석이 오늘 저녁
의례마저 늦는다면,
전 이제 더 이상
손 쓸 방법이 없습니다.

설마하니,
숙부님이 집전하는
브리잇취 주간
시작 의례에도
늦지는 않겠죠?

이번에도
늦는다면,
그때는
숙부님께서
혼내주십시오.

어차피
숙부님 말밖에
안 듣는 놈이니.

언제나 교단 내의
질서를 지키느라
수고가 많습니다,
러셀.

…그럼
가보겠습니다.

에휴

꾸벅

탁

흥흥

제게도 축복을
다시 내려주시면
안 될까요?

…그러고 보면
이안이 오늘 좀
이상하기는 했지.

당신의
자랑스러운
기사입니다.

뱅긋

내 눈이 닿는
울타리 안이라면,
때론 응석 부리게
두는 것도
나쁘지 않지.

나는 국경에서
장사를 하는 입장이라
가텔과 약간의 안면이
있었을 뿐이야.

데르윈은 타국과의
개인적인 상거래를
허용하지 않아.

그렇게 말하는 너는, 분명 중앙에서 온 녀석일 거고?

웅질

······

개인적인 상거래가 이루어질 리가 없다는 건, 중앙 샌님들의 생각이지.

그런 것까지 눈감아주고 있었군, 가텔 후작···

그런데 가텔이 아르카이아가 전쟁을 일으킨다는 소문을 낸다잖아.

가텔이 낸 소문이 당신의 장사를 방해하니까 상황을 알아보러 왔다 이 말인가?

그래.

낮에 찾아왔다가 재수 없게 꼬투리 잡힐 수는 없으니 밤에 찾아온 거고.

나 같은 일개 상인이 걸리면 일이 좀 귀찮아지거든.

나 같은 일개 상인이라…

말하는 모양새는 친근하지만…

저 태도는 길바닥에서 나오는 게 아니야.

권위를 가진 자다.

아르카이아
서쪽 변경의
귀족이라도
되는 모양이지.

가텔과
불법적인 거래를
하고 있었다면,
납득이 간다.

사용인들도
이 자의 얼굴을
알 테니,

밤새 거래 관련
이야기를 나누었다고
둘러댄다면

간밤에 아무 일도
없었던 것처럼
위장하는 게 가능해.

애먼 사람 의심하지
않는 게 좋을 거야.
난 가텔이 벌인
일의 진상을 파헤치러
온 거니까.

소문이란 건
규모가 크고 허황될수록,
어디에선가 장작을
넣고 있다는 말이거든.

그리고 장작을
넣는 데엔
반드시 이유가
있는 법이지.

……

너는 그 이유를 알고 있을 것 같아서 거래를 제안했을 뿐이야.

…어째서 내가 알고 있을 거라고 생각했지?

피식

반대로 내가 묻지.

너는 왜 가텔을 죽이려고 했지?

가텔의 재산을
건드리지 않았으니,
돈을 노렸던 건
아닌 것 같고—

몇 가지 이유를
추측해 볼 수
있을 것 같은데.

정치적인
전략,

개인적인
원한이나
복수,

우발적인
사고,

아주 드물게 어떤 신념을 관철하겠다는 고집.

어느 쪽이든 해 볼 만하지 않겠어?

…말은 번지르르하게 하는군.

탁

문질..

아르카이아의 귀족일 수도 있는 데다가 불법 무역까지 하는 자다.

이것만으로도 처분해야 하는 놈이야.

물끄럼..

하지만…

이 힘에 대해서 알고 있는 자다.

…하루 정도 생각할 시간을 줘.

좋아. 그 정도는 기다려주지.

그럼 일단 이걸 풀어줘. 내일 다시 찾아올 테니까.

후들

내가 뭘 믿고?

?

……?

?

당신의 믿음은 내가 어떻게 해줄 수 있는 부분이 아니야.

하지만, 이런 걸 달고 다닐 수는 없어.

왜? 저주받은 힘이라서?

멈칫

너는 네 자신이 저주받았다고 생각하나?

......

난 그렇게 생각하지 않는데.

아마 너도
그렇게 생각하지
않을 텐데?

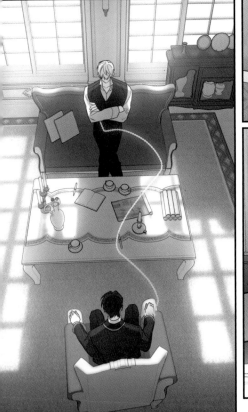

달싹

그렇지만, 여기선
'이게' 어떤 취급을
받고 있는지는
알고 있지.

딱!

사라진 건 아니야. 형체를 감췄을 뿐.

......

이게 연결되어 있는 한, 언제든지 내가 널 찾아갈 수 있으니까 도망칠 생각은 하지 말고.

...약속은 지켜.

짝

이렇게나
멀리 왔는데도
계속 그 힘이
느껴진다.

그의 말처럼
길이는 계속
늘어나는
모양이군.

너는 네 자신이
저주받았다고
생각하나?

......

목걸이인가?

그게 마력을 억제하고 있는 것 같은데… 그런 걸로 마력이 제대로 막아질 리가 없지.

그래서 저도 모르게 튀어나오는 거군.

그만한 마력이라면,

진작 '그 녀석'의 눈에 띄었을 거다.

이 나라에서 마력을 '이단' 취급하지 않을 리가 없으니,

아마도 그 녀석이 손을 쓴 거겠지.

…직접 확인해야겠군.

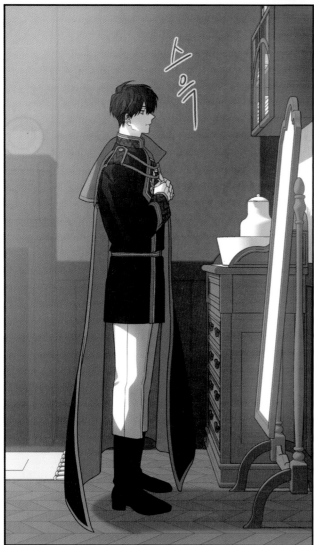

?

러셀 경이
화가 많이 나셨어요!!

끼익

그 자식이
화가 나 있는 게
하루 이틀 일도
아니고…

새삼스럽네.

꾸깃

쾅

레이아 님께서
우리를 살피시니

모든 일이
그분과 같이
하해와 같음이라.

살금..

지정석까지는
못 가겠군.
대충 빈자리에
앉아야…

살금

살금

너,
이 자식…!

뭐, 어쩌라고.

빠

안

빙긋

머쓱..

꾸벅

…나중에
한소리 듣겠군.

이번엔
늦고 싶어서
늦은 것도
아닌데.

강력한
위화감.

우선…
이걸 어떻게
처리한다.

그렇게
쳐다본다고
끊어지진
않을 텐데.

누가 끊으려고
쳐다보는 줄…

멈칫

파
스

직업이 한두 개가
아닌가 본데.
이번엔 기사인가?

너 미쳤…

텁

쉿!
의례 중이잖아.

흘긋

이딴 것까지
걸어 뒀으면서
하루도 기다리지
못하는 것도
대단하군.

징글맞은
자식.

누가 너
감시하러
왔대?

브리잇취 주간 시작 의례라길래 구경하러 온 거지. 누구나 참석할 수 있는 거라면서?

그걸 변명이라고.

말해두지만, 내가 널 따라온 게 아니라, 네가 내 옆으로 온 거야.

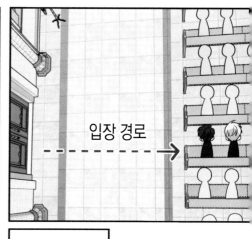

입장 경로

울컥

워

......!

파악

쾅!

?!

웅성

??

?

?

웅성

웅성

숨김.

아차,
반사적으로…

?

어지러우면
엎드려 있어.

이 자식
이름이 뭐지?

토닥

토닥

꾸벅

죄송합니다.
치, 친구가 갑자기
아프다고 하네요.

재… 잭.

푸흡.

뭘 웃어.

쓰담

쓰담

그럼,
괜찮아질 때까지
신세 좀 지지.

털

썩

얼음.

이…

이 미친 새끼가…!

끝났다!

탁

ㅍ대액

왜?
난 마무리도
보고 싶은데.

후다닥

쾅—

......?

아,
이안 경!

타 타 탁

쌩!

움찔

……?

같이
계신 건
누구…?

무섭네…
어디 지나가다가
말 한 번
걸 수 있겠어?

평소에도 이렇게
과격하게
일을 해결하나?

지금 누가
할 소리를…!

범법자이면
범법자답게 그 저택에
얌전히 처박혀
있을 것이지,

겁도 없이
여기까지
기어 나와?

범법자? 적어도
네게 들을 소리는
아니지.

'공범자'잖아, 우리는.
심지어 네 죄는
내가 덜어줬는데.
벌써 기억이 안 나나?

뚝뚝

움찔

이안?

?!

헤론 님?!
왜 여기까지…!

자기 무덤을
자기가 팔 리가
없잖아.

무슨
개소리를…!

이 자식이
제대로 된 사고를
할 줄 안다면,
여기서 문을
열 리 없다.

그렇지만
아르카이아인이면서
이런 때에 예당까지
들어온 새끼이다.

만에 하나―

혹시라도―!

끄가악

헤론 님을
실망시키고
싶지 않다.

…열지 마.

……

의심 받고
싶지 않아.

?!

이안?

……

헤론 님,
갑자기 여기까지
어쩐 일로…

안색이
좋지 않아요.
무슨 일
있었습니까?

두근

두근

시끄러운
소리가
들리던데…

두근

두근

두근

누군가와
같이 있습니까?

두근

두근

두근

두근

…아뇨.

저 혼자
있었습니다.

…이야기는
다음에 하죠.

…네.
감사합니다.

한 성깔 하는 것 같은데, 그만큼이나 얌전하게 구는 걸 보면.

…개자식아.

억울하네. 난 그냥 끌려왔을 뿐인데.

방금 그 사람이 헤론? 사이가 각별해 보이네.

…하. 네가 알 바 아니야.

협력하겠다고 했으면 풀어야 할 거 아니야, 비겁한 새끼야.

이젠 말도 막 하고?

……

…그래.

내가
저주 받은 게
아니라고?

나를
거두어주시고,

새 삶을 주신
분이야.

미움 받고
싶지 않다.

나 스스로
그렇게 생각하지
않을 거라고?

듣기 좋은
소리를 한다고 해서
희망에 빠지는
나이는 지났어.

.....

탓

다시 한 번
말하지만,

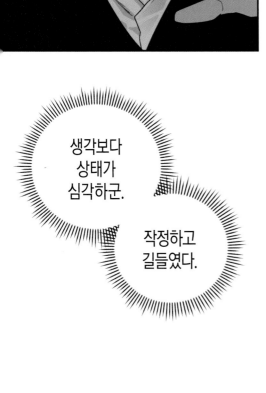

생각보다
상태가
심각하군.

작정하고
길들였다.

좀
쉬는 게
좋겠어,

이안.

예에…

떡이나!

이안은
만나보셨습니까?

러셀.

이안은
오늘 몸이
아팠다더군요.

에밀, 이안
못 봤습니까?
급히 예당을
나가던데.

저벅

저벅

탓

아,
헤론 님.

이안 경이라면
아까 엄청 바쁘게
기숙사 쪽으로
가던데요.

…혼자
였습니까?

아뇨.
누군가랑
같이 있었는데…

아뇨.
저 혼자
있었습니다.

누구더라…
누구였는지는
잘 기억이
안 나요.

기사단원이었던 것
같은데…

수행기사는 예년처럼 배치할까요?

이번 브리잇취 주간에 방문할 곳을 추려두었습니다.

…이번 브리잇취 주간의 수행기사는 러셀과 이안으로 하죠.

아침에 바로 이안에게 전달하도록 하세요.

예, 알겠습니다.

역시 오늘 늦은 건 좀 못마땅하셨던 모양이지.

안 봐주시는군.

그 녀석, 오랜만에 고생 좀 하겠군.

왜 여기서
자고 있는 거야?!

이게 대체
무슨 상황이지?

이안,
일어나!

!

재킷은
의자에,

망토는
바닥에,

구깃

구깃

옷은
어제 입은
셔츠와 바지
그대로이다.

챵!

챵 챵!

야,
일어나.

일어나라고!

찰싹!

꾸

찰싹!

찰싹!

.....?

뭘 태평하게
자고 있어!

!!

…..?

너 깼지?!

협력해준다고
했으니까

제발
조용히 있어.

허.

끼이이익...

덜컥

왜 갑자기
문을 잠그고 그래?
안 그러던 놈이.

네가 자꾸
여기로 출근하니까
성가셔서 잠갔다,
왜!

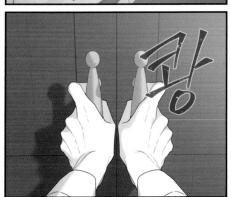

쾅

헤론 님의
명이야.

이번 브리잇취
주간엔 너랑 내가
헤론 님의 수행기사로
움직인다.

달칵

!

뭐? 에밀은?
작년까지는
그 녀석이···

그러니까 어제
늦지 말고 제시간에
참석했어야지.
어쨌든 그렇게
알아둬.

탁

덩그러니

달칵

끼이이익.

협력해주는 거
맞지?

······

뭐 하나
도움 되는 게 없는
징글맞은 새끼···

후작님께
부탁 받은 일은
확실히 처리하고
갈 테니 걱정 말게.

……

감사합니다.
편히 머무르다
가십시오, 레아 님.

레아…
신의 이름을 딴,
누가 들어도 가명인
이름이다.

탁

이쪽으로.

심지어
여성의 이름.

가텔 님께서
차도를 보이려면
시일이 걸릴 것 같습니다.
모처럼 방문해주셨는데
죄송합니다.

아니 뭘.
다행히 내가
함께 있었어서
망정이었지.

아니었으면
가텔 후작님께서
쓰러진 것도
모를 뻔했잖아.

너, 이름이
뭐야?

나?

잭.
네가 그렇게
불렀잖아.

......

어떻게 물어도
실토하지 않겠군.

손님 입장으로 저택을 뒤지는 건 현실적으로 한계가 있는 것 아닌가?

저택 곳곳을 돌아다닐 수도 없고, 다들 그 모습을 수상하게 생각할 거라고.

원래 이곳을
알고 있었나?

비밀 통로?

끼이이이...

비밀스러운
거래에는
알맞은 장소가
필요한 법이지.

귀족의 저택에
이런 공간이
하나둘 있어도
전혀 이상하지
않지. 안 그래?

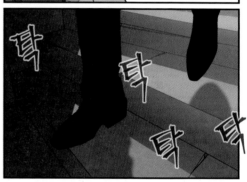

탁

탁

탁

탁

딱!

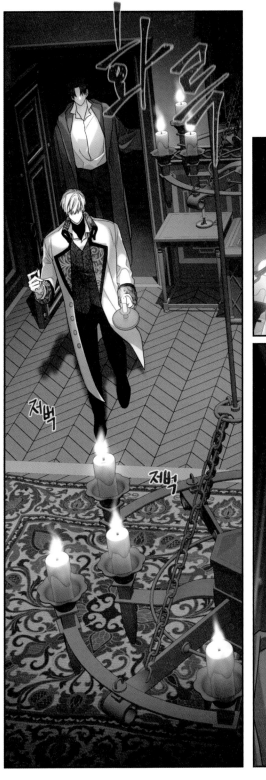

가넬은
아르카이아와의
무역으로 이득을
취하고 있었으니,
굳이 전쟁 소문을
낼 이유가 없어.

웅
절

탁

그렇다면
무역의 약화로
손실된 수익을
영주민들의 고혈로
대체해서까지

자신의 평판을
더럽혀야 했던
이유가 뭘까?

그리고 그
실마리는 어디서
찾아야 할까.

짐작 가는 것이
있지 않아?

사람을 파셨다고…

누군가를 만나기 위한 기록이 있을 거야.

물론 주기적으로 태워 없앴던 모양이지만.

태운다라…

마침 벽난로가 있군.

…다 타버린 걸 뒤져서 어쩌게?

탓

뒤적

뒤적

어쩌긴.

오.

이런 걸 대체…

설마 그걸 보여주려고 줬을까.

뭐…

잠깐!
이게 무슨…!

종이의
나머지 부분이
생겨나고 있어!

내 안에
있는 '그게'
끌려 들어가는
느낌이야…!

더 이상은
견디기가…

……!

…아슬아슬하지만 이 정도는 되는 모양이군.

뭐, 뭘 한 거야?

네 안에 있는 걸 편리하게 써 본 거지.

저주를?

저주라.

과연,
초대장이군.
제법 수상한데.

헤론 님이 나를
그 지옥에서
끌어올려 주셨는데,

둘이면
무섭지 않죠?

그분의 은혜를
배신하면 안 돼.

이건
저주다.

관심을
가져선 안 돼.

네게
협력하는 데
조건이 있어.

조건?

애초에 협력하는 게
네 일을
함구하는 것에 대한
조건이었을 텐데?
들어나 볼까?

이 힘이 저주가
아니라면…
뭔지 알려줘.

이 선택이
최악의 결과를
낳을 수도 있다.
무섭지 않다면
거짓말이지.

한 가지
명확한 사실은

나는 이 녀석을
막을 수 없다는 것.

그러니
막을 수 없다면,
무엇이든 쑤셔 봐야
하지 않겠어.

그래, 그뿐이다.

흠…

좋아.
받아들이지.

이건 저주 같은 게 아니야.

그냥 네가 갖고 있는 것일 뿐이지.

우린 그 힘을 '마력'이라 부르지.

무언가를 해낼 수 있는 가능성을 가진 힘.

사람마다 모두 자신의 생을 유지할 정도로는 가지고 있지만,

그보다 더 가졌을 경우에 이렇게 흘러넘치는 거야.

무언가를 해낼 수 있는 가능성을 가진 힘…

…이걸로 뭔가를 해낼 수 있다고 생각해 본 적이 없어.

움찔

신체를 갖고 있어도 걷거나 말하는 법을 배우지 않으면 쓸 수가 없듯이,

다루는 방법을 모르니까 네 안에 잠재되어 있다가 정신적 상태에 따라 튀어나가는 거야.

꽉

쓰는 방법은 배우면 돼.

그럼 협력의 조건으로
지식을 베풀기로 했으니,
네 손목에 채운 건
그대로 두는 게 좋겠어.

피픽

뭐?

네가 조금이라도
마력을 쓸 줄 알게 되면,
그깟 것쯤은 네 힘으로
풀 수 있을 거야.

……

자, 그럼
가텔 이야기를
마저 정리해볼까.

샥

자선 행사
초대장이야.
빈민층의 아이들을
후원한다는 내용이지.

···내가 가로챘던
문서들은 가텔의
거래 내역이었어.

후원이라는 명목으로
사람을 거래했을
가능성이 있군.

빈민가의
아이들을···
후원한다고···

······!

꾸깃

브리잇취 기간에
빈민가를 찾아가는 건
빈민의 규모와 상태를
파악하기 위해서
이기도 해.

한 사람, 한 사람을
만나다보면
그 사람의 상태는
어떠한지,

가족 관계는
어떠한지도
짐작할 수 있지.

……

부모 없는
녀석들도
흔해.

가텔이 사람을
팔았다면,

팔아야 할
사람은 어디에서
구했겠어?

…그렇군.
알아볼 만한
가치가 있겠어.

현장에
패거리가
고용되었을
거야.

행사 분위기에
휩쓸리면
덜 수상해
보이겠지만,

너나
나는…

~~

~~

브리잇취 행사 건은 내가 알아서 할 테니까, 넌 평소대로 행동해.

탓

평소대로?

너는 추기경과 함께 가잖아.

이번엔 모함 씌울 아르카이아의 제복을 입은 것도 아닐 텐데, 성기사단이 설쳐서 좋을 게 없지.

…내가 알아서 해.

하하.

이안.

? 왜 자꾸 불러?

오늘 내가 한 말들을 믿어?

거짓말일지도 모르는데.

…무슨 대답을 듣고 싶은 건데?

협력 관계의 보증? 내 대답이 대체 무슨 소용이야?

네 신의는
네가 알아서
지켜야지.

그래.

영원한
계약

저주 같은 게 아니야.
그냥 네가 갖고 있는
것일 뿐이지.

물끄럼..

신은 이안에게
그걸 극복할 힘도
주셨을 겁니다.

간교한 말에
흔들려서는
안 된다.

헤론 님을 위해
움직이는 것임을
명심해.

오늘 내가
한 말들을
믿어?

그분이 모르는 곳에서
일어나는 일들조차
그분을 위한 것으로
만드는 것일 뿐이다.

……

짹
짹

짹

짹
짹

네가 자꾸 여기로
출근하니까
성가셔서 잠갔다,
왜!

탓

그럼 좀
알아서 제대로
나오든가…

푸벅

푸벅

오늘은
내버려둘 수도
없고.

스윽

뭐야?

…브리잇취
축복이
곧 시작하니까
나오라고.

…알고
있어.

……?

무슨 바람이
불었기에 저렇게
기합이 단단히
들어가 있지?

웅성

웅성

웅성

브리잇취 주간.

축복받지
못한 자들을
살피는 기간이다.

브리잇취
축일로부터
일주일간,

모든 교구의 사제들은
소외된 자들을 찾아가
그들에게 축복과
양식을 내린다.

데르윈의
중앙교구를
맡고 계신 건
헤론 추기경님.

중간 사제들이
맡는 것이 보통인
행사인데,

늘 직접 나와
사람들을
살피신다.

헤론 님이 축복을 내리는 곳에서
개수작을 부리다가 잡히면…

그게 어떤 새끼이든,
이곳에서 기웃댄 걸
후회하게 해주마.

？

……

엄마!

잘 가져왔어?

응.

잘했다.

이제 집에 가자.

……

형,
그냥 나도
저거 하면
안 돼?

안 돼.

안 하겠다고
형이랑
약속했잖아.

나도 저 빵
먹어보고
싶었는데…

그래도 오늘은
내가 일하는 데
데려가주잖아.

옆에서
얌전히
기다리면
돌아갈 때
맛있는 거
사줄게.

힝…

가자.

이안, 축복의 시간이
곧 끝나가니까,
슬슬 주변 순찰
한바퀴 돌고 와.

끄덕

탓

빼꼼

아까 그 애다.

형은 어디에 간 거지?

으앗!!

무슨 일이니?

화들짝

넙떡

어…

저… 그러니까…

그게…

……

?

이안, 너 왜 다시 돌아오…

저기 멋있는 분 앞에 서는 거야.

……

삐끔…

하하.

이 아이가 축복을 받고 싶다고 합니다.

이름이 뭐지?

로, 로디…

대단한 의도가
있었던 건
아니었다.

바라는 것이
이루어지는…
그런 기억이
하나둘쯤은 있어야

그래,
로디.

타닷

나중에 그 시간들을
떠올리는 것이
괴롭지 않을 테니까.

저벅

저벅

저벅

이번엔 모함 씨울 아르카이아의 제복을 입은 것도 아닐 텐데,

성기사단이 설쳐서 좋을 게 없지.

누가 그렇게 눈에 띄는 길 입고 움직여?

이런 곳에서 번듯한 옷을 입고 혼자 돌아다니는 것만큼 멍청한 짓은 없지.

내 동생한테 무슨 짓이야!!

움찔

?!

어린아이의
목소리다.

바로
이 근처야.

형아!

으읍…!

아까
그 아이들…!

나머지
한 놈도
입을 막아.

저것들이
지금…!

?!

이럴까 봐서
미리 말해둔
거였는데.

쿨럭…!

우수수..

털썩

웬 놈이냐?!

내가
그랬잖아.

우리 몫을
가로채려는 놈이
분명 있을 거라고.

투벅

투벅

누가 허접하게
이런 초짜 미행을
달고 왔어?

푸벅

이…

개자식이…!!

비틀

내 말에
맞춰.

뭐…?!

뒤처리는
알아서 하라고.

이 일이
새어 나가면
어떻게 되는지
알지?

저런 얼뜨기
하나 정도는…

가텔 후작이
그런 걸 또
싫어하잖아.

주춤..

조춤..

몸들 사려야지?
가텔 눈 밖에
나고 싶어?

끙...

고작
어린애들 상대로
쩔쩔매기는.

울쩍

그럼, 일이 다 해결된 이후에 보자고.

수고들 해.

뭘 어쩌라는 거야?

수작을 부릴 거였으면, 미리 말을 하든가.

처리해!!

장난하나…

내가 지금
잡으러 가야 할
새끼가 생겼거든?
네놈들은 이제
알 바 아니야.

이 새끼랑
똑같은 꼴 되고
싶지 않으면 비켜.

뭣들 해!

주춤..

주춤..

쉬익

쉬익..!

족쳐!!

평소 같으면 진작 숨통을 끊어버렸겠지만…

오늘은 어떠한 부정한 일도 일어나서는 안 되는 날이라서 말이야.

그 녀석은…

이미 빠져나갔겠지.

크윽…

틱썩

한동안은 단 한 발자국도 움직이지 못할 거다.

……

이안!!

브리잇취 주간에
폭력 사태라니!

옷이며,
상황이며…

이 일은
헤론 님도
그냥 넘어가지
않으실 거다.

아.

돌아가야 할
시간이 한참
넘었어.

여기는 따로
수습을 맡길 테니,
넌 돌아가서
헤론 님께 보고해.

듣고 있어?

실수했다.

얌전히 굴어.
화가 많이
나셨으니까.

하⋯

이안 글로스터입니다. 들어가겠습니다.

끼이이...

탁

……?

멈칫

이안,
그 상처는…!

별, 별거
아닙니다.

레일라,
상비약으로
가져온 것이
있습니까?

마차에 싣고
왔을 겁니다.

가져오세요.

예.

걱정하실 만한
정도는…

이안.

거기 똑바로
서 계세요.

아, 이건…

상처 확인의
문제로 끝나는 게
아니야.

훈계 시간이다.

일렁,,

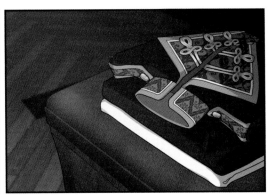

일렁,,

일렁,,

최근 기사단의
일정에는
대련도 없었고,

그만한
상처가 생길
임무를 내린 적이
없었던 걸로
기억하는데요.

기사단 내에
내가 모르는
집단 폭행이라도
있었습니까?

…아뇨.

머뭇

이걸…

대체 어떻게
이야기해야…

저벅

이안에 관한
이야기는
가장 먼저 내게
들어오니까.

그야
그렇겠죠.

짜악

으…!

욱씬…!

내게 말하지 않은 것이 있습니까?

〈영원한 계약〉2권으로 이어집니다.

아니면,
계속 여기
갇혀 있으려고?

자신과 같은 힘을 가진 수상한 남자 잭.

경계해야 해.

···경계해야···

척

혼돈 속에서 이만의 선택은──?!

안녕하세요.
해진입니다.

이번 작품의 무대는
가상의 세계죠.

어려서부터 만화를
좋아하는 사람이라면
한 번은 꿈꿔본다는
바로 그!

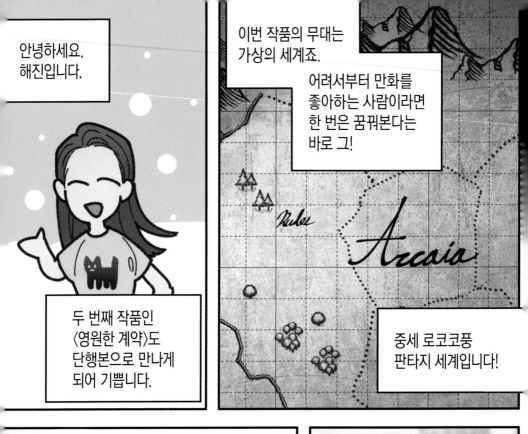

두 번째 작품인
〈영원한 계약〉도
단행본으로 만나게
되어 기쁩니다.

중세 로코코풍
판타지 세계입니다!

사실,
없는 세계를
만든다는 건
굉장히 어려운 일이라

판타지 장르는
로망으로만
두고 있었습니다.

그런데
웬걸,

악역
영애가

사실은
내 여친

웹툰 시장에 '로맨스
판타지'라는 바람이
불기 시작한 겁니다.

이때다.

이때 해야한다.

모두가 판타지를 익숙하게 받아들이는 지금 바로 이 순간!!!

그래서 작품을 만들면서 신나게 좋아하는 걸 눌러 담았습니다.

콸

콸

콸

그랬더니 수습해야 할 것이 한두 가지가 아니게 된 상황.

줄줄

줄..

당연하게 따라오는 액션 연출.

판타지적 효과....

음. 이번 작품도 장편이 되겠군^^

흥건..

판타지를 연재할 생각을 했다면 피할 수 없는 숙명이죠.

함께 즐겨주셨으면 좋겠습니다. 이번 〈영원한 계약〉도 잘 부탁드려요!

초판발행 2023년 7월 7일

글·그림 해진
발행인 정동훈
편집인 여영아
편집책임 이승희·박윤경·정선미
제작 김종훈·박재림
디자인 박가영
본문구성 문지영
발행처 (주)학산문화사

서울시 동작구 상도로 282 학산빌딩
영업부 828-8984·편집부 828-8862
FAX 816-6471
1995년 7월 1일 등록 제3-632호
http://www.haksanpub.co.kr

ISBN 979-11-411-1125-0 07650
ISBN 979-11-411-1124-3 (세트)

값 12,000원

영원한 계약

1

publication right